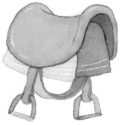 

| un poulain | la crinière | une selle | l'écurie |

| n agneau | un bélier | la laine | le berger |

| es cochonnets | le groin | la queue en tire-bouchon | la boue |

| le veau | le pis | du lait | l'étable |

dans la ferme

texte d'Annie Pimont

images de Marie-Anne Didierjean

EH Héritage jeunesse

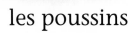
les poussins

les œufs

le coq

le renard

la poule

La  et ses petits

picorent dans la cour. Le fermier

ramasse les que la

a pondus. Tous les matins, le

 chante. La nuit, toute

la famille dort dans le

poulailler, car le  guette.

Il aimerait manger la .

les lapereaux

les oreilles

une cage

des carottes

le lapin

Le fermier élève le  et ses

petits dans une 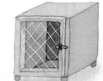 . Les

petits du sont les  .

Ils sont tout doux. Ils ont de

grandes comme leur papa.

Dans son panier, le fermier

porte des . Quelle chance !

C'est le repas préféré des  .

 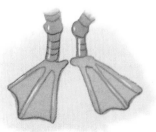  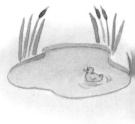

les canetons   pieds palmés   nager   la mare

le canard

Le aime jouer dans l'eau.

Il a des qui lui servent

à très vite. Les petits

barbotent dans la , sous

l'œil attendri de maman cane.

Les  sont des bébés gloutons

qui adorent le pain que les

enfants lancent dans la  .

des cochonnets   le groin   la queue en tire-bouchon   la boue

le cochon

Le  mange de tout, il

gratte la terre avec son  .

Le  est sale, car il aime

patauger dans la .

Les petits s'appellent des .

Ils tètent leur maman, la

truie. Comme le , ils

grognent. Ils ont une .

le veau

le pis

du lait

l'étable

la vache

La broute de l'herbe, puis

elle fabrique du . Le matin

et le soir, quand le de la

 est plein, la fermière

doit la traire. Le petit

boit le bon  de sa maman.

Il tète. La nuit, le  dort

près de la dans l' .

 un poulain  la crinière  une selle  l'écurie

le cheval

Le broute dans le pré

avec son petit  .

Parfois, le fermier met une

sur le dos du  , puis il part

se promener dans la campagne.

Quand le galope, sa

est toute ébouriffée. La nuit,

le  dort dans l'  .

 un agneau

 un bélier

 la laine

 le berger

le mouton

Le  fait paître le troupeau

dans les pâturages. Le

mange beaucoup d'herbe.

Le petit du est un  .

Il est tout frisé. Son papa

a des cornes, c'est un  .

En été, le tond le

pour avoir de la  .

un chevreau

une barbichette

des fromages

un pique

la chèvre

La est attachée au .

Elle broute l'herbe du pré.

Le petit de la s'appelle

le . Il fait des cabrioles.

Son papa, le bouc, a une  .

Tous les jours, le fermier trait

la . Avec le lait, il fait

de bons de .

 un chevreau

 une barbichette

 des fromages

 un pique

 les canetons

 pieds palmés

 nager

 la mar

 les lapereaux

 les oreilles

 une cage

 des carotte

 les poussins

 les œufs

 le coq

 le renard